TIBURÓN MARTILLO

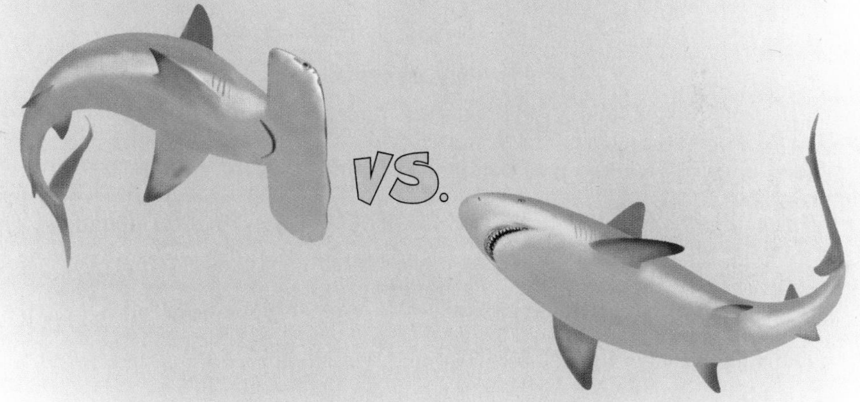

TIBURÓN SARDA

JERRY PALLOTTA

ILUSTRADO POR
ROB BOLSTER

Scholastic Inc.

Por la gentil autorización de utilizar sus fotografías en este libro, la editorial agradece a:

Página 6: © Norbert Wu / Science Faction / Corbis; página 7: © Norbert Wu;
página 8: © Chris Newbert / Minden Pictures; página 9: © Visual & Written / SuperStock;
página 22: © Azure Computer & Photo Services / Animals Animals;
página 23: arriba: © Image Quest Marine; centro: © Seapics; abajo: © Brandon Cole

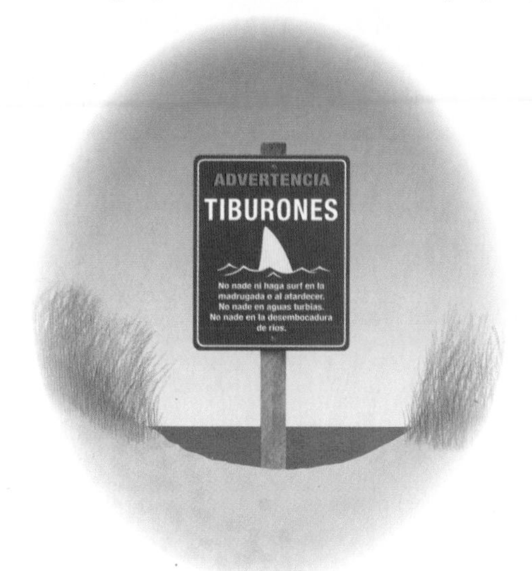

A mi prima Jeanne Petronio, que viene del lado tiburón martillo de la familia.
—J.P.

A Eddie.
—R.B.

Originally published in English as *Who Would Win? Hammerhead vs. Bull Shark*

Translated by Eida de la Vega

ISBN 978-1-338-11988-6

10 9 8 7 6 5 4 3 18 19 20 21

Printed in the U.S.A. 40
First Spanish printing 2017

¿Qué pasaría si un tiburón martillo se encontrara con un tiburón sarda? ¿Y si fueran del mismo tamaño? ¿Y si los dos estuvieran hambrientos? Si pelearan, ¿quién crees que ganaría?

GRAN TIBURÓN MARTILLO

La cabeza tiene una forma rara.

TIBURÓN MAKO

¡El tiburón que nada más rápido!

RECUERDA
Los peces tienen branquias, no pulmones.

TIBURÓN BOQUIANCHO

Un tiburón de aguas profundas descubierto recientemente.

TIBURÓN SARDA

Este tiburón ha atacado a más personas que ningún otro tiburón.

TIBURÓN BALLENA

El pez más grande del mundo. Es un micrófago filtrador inofensivo.

GRAN TIBURÓN BLANCO

¡La famosa estrella de cine no necesita presentación!

DATO
Los tiburones son peces de agua salada.

TIBURÓN TIGRE

El "basurero" del mar. Come de todo.

NOMBRE CIENTÍFICO DEL GRAN TIBURÓN MARTILLO: "Sphyrna mokarran"

Este es el gran tiburón martillo. Puede medir hasta veinte pies de largo y puede pesar mil libras. Los tiburones martillo son fáciles de identificar porque su cabeza tiene forma de martillo.

DATO CURIOSO
Otro nombre para el tiburón martillo es cornuda gigante.

¿SABÍAS ESTO?
Los tiburones martillo más grandes miden tres pies de ancho de ojo a ojo.

Los tiburones martillo lucen temibles, pero casi nunca atacan a humanos.

NOMBRE CIENTÍFICO DEL TIBURÓN SARDA:
"Carcharhinus leucas"

Este es el tiburón sarda. Es corpulento, agresivo e impredecible. Vive en aguas poco profundas, por lo general, de menos de 100 pies. Las hembras crecen hasta doce pies de largo y pesan quinientas libras.

DATO INTERESANTE
Al gran tiburón blanco se le suele culpar de los ataques del tiburón sarda.

¿SABÍAS ESTO?
El tiburón sarda es más peligroso para la gente que el gran tiburón blanco y el tiburón tigre porque vive en aguas menos profundas.

Los tiburones martillo cazan solos por la noche.
Por el día migran en grandes bancos.

Los tiburones sarda prefieren estar solos.

DATO EXTRA

A pesar de su naturaleza solitaria, los tiburones sarda a veces cazan en pareja.

CURIOSIDADES

El tiburón sarda tiene muchos nombres: tiburón Zambezi, tiburón de estuario, tiburón de agua dulce, tiburón lamia, tiburón toro y tiburón del lago Nicaragua.

TIPOS DE TIBURÓN MARTILLO

DATO CURIOSO

La forma de su cabeza les permite tener más sensores. Los tiburones martillo pueden oler y detectar a los peces mejor que los demás tiburones.

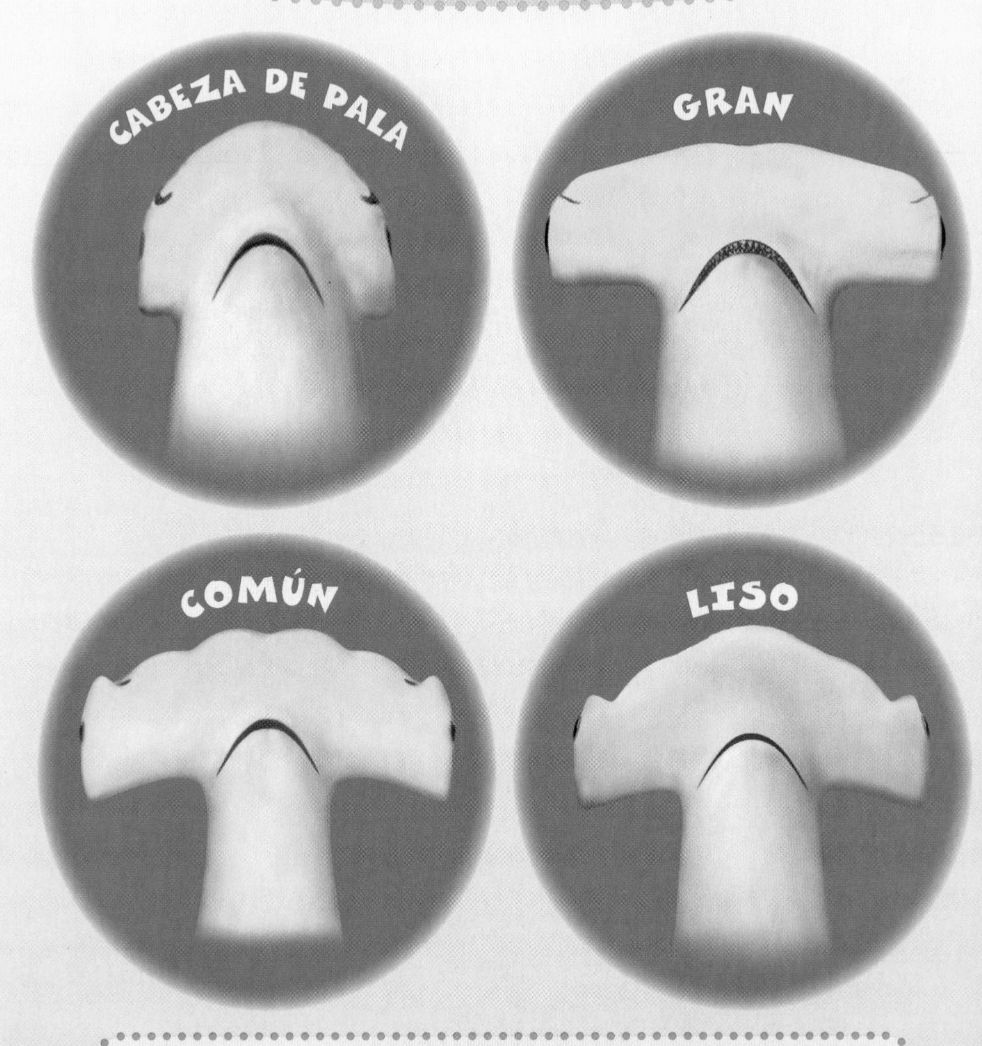

¿SABÍAS ESTO?

Otras especies de tiburón martillo son la cornuda cuchara, el tiburón martillo ojichico, la cornuda planeadora y la cornuda coronada.

LOS VIAJES DEL TIBURÓN SARDA

Los tiburones sarda nadan en aguas costeras poco profundas. A menudo se meten en estuarios o en corrientes de agua dulce.

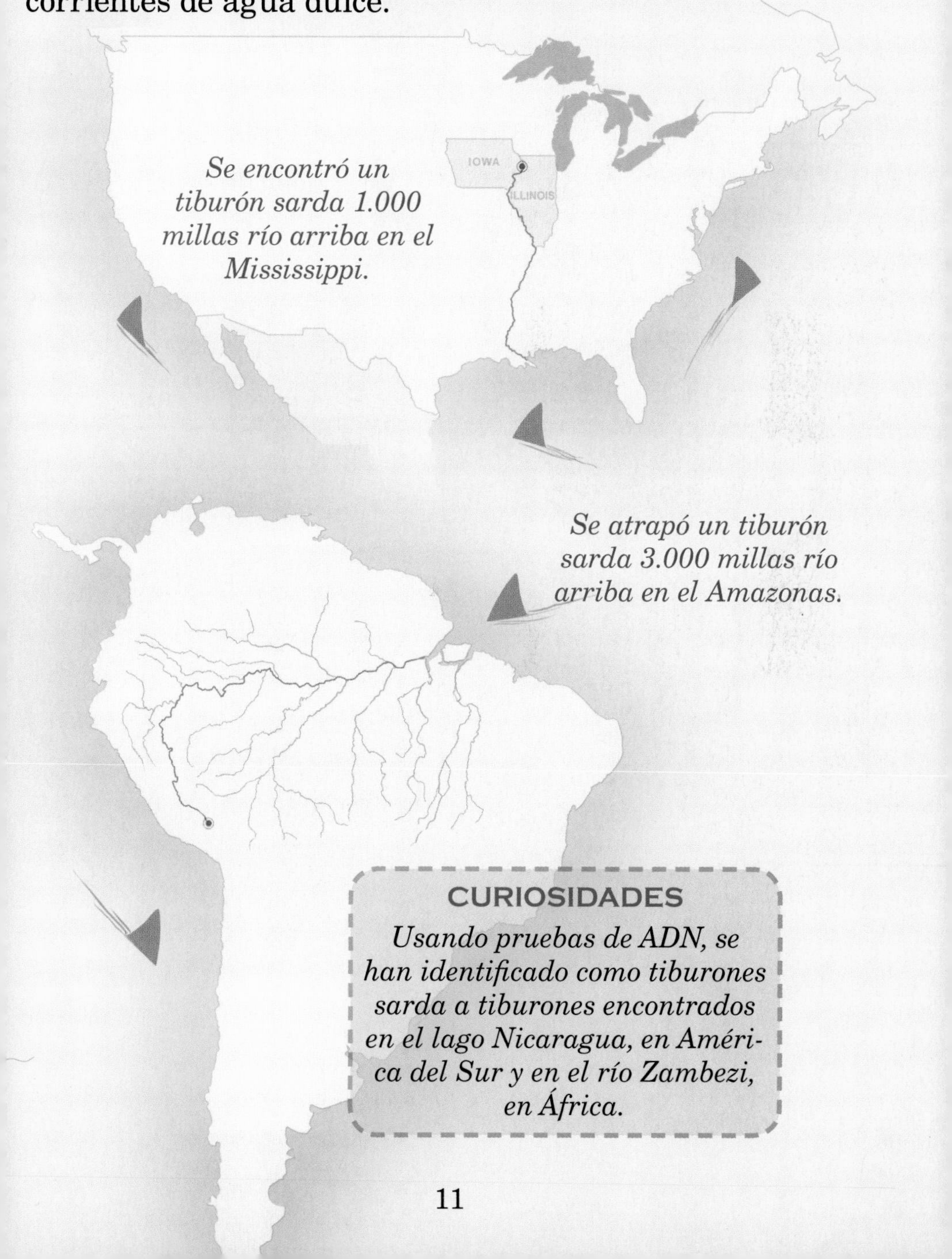

Se encontró un tiburón sarda 1.000 millas río arriba en el Mississippi.

Se atrapó un tiburón sarda 3.000 millas río arriba en el Amazonas.

CURIOSIDADES

Usando pruebas de ADN, se han identificado como tiburones sarda a tiburones encontrados en el lago Nicaragua, en América del Sur y en el río Zambezi, en África.

Si estuvieras buceando y un tiburón martillo nadara hacia ti, luciría así.

DATO INTERESANTE

Los tiburones martillo han nadado en los océanos de la Tierra durante más de 20 millones de años.

¿SABÍAS ESTO?

La posición inusual de los ojos del martillo le permite mirar encima, debajo y alrededor.

Si estuvieras buceando y un tiburón sarda nadara hacia ti, verías esto. ¡A correr!

DATO CURIOSO

La cabeza del tiburón sarda es más ancha que larga.

¿SABÍAS ESTO?

Los tiburones sarda se caracterizan por darle un topetazo a la presa primero. Luego deciden si la quieren morder.

DIENTE DE MARTILLO

Comparado con otros tiburones, el martillo tiene la boca pequeña. Pero como todos los tiburones, ¡tiene dientes temibles!

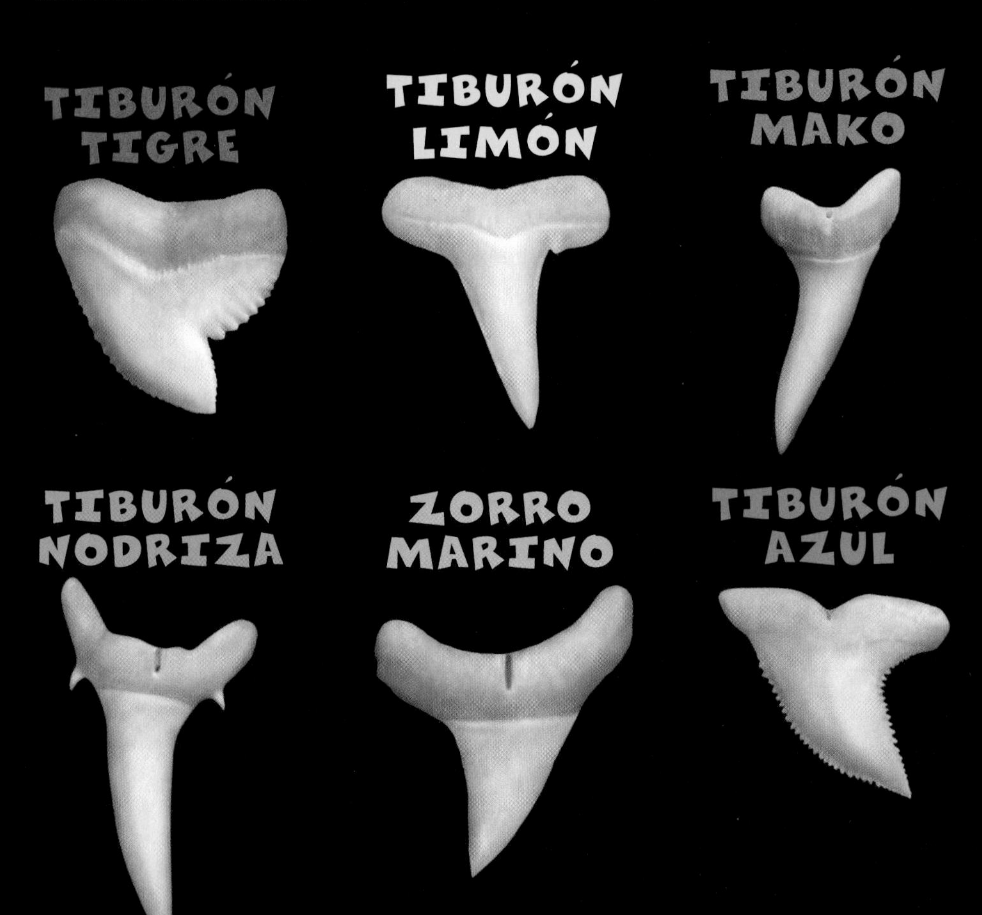

DIENTE DE TIBURÓN SARDA

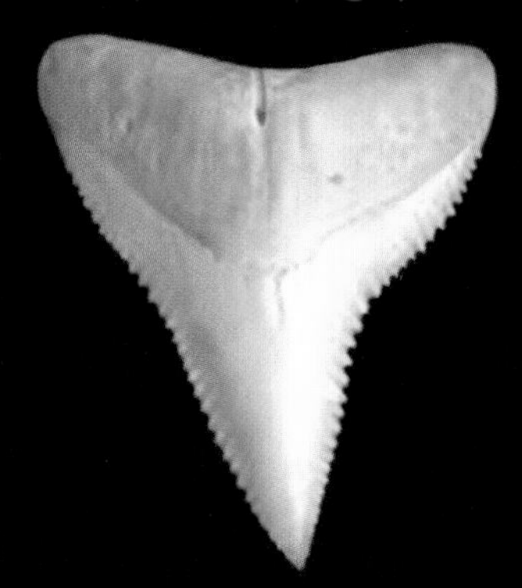

El tiburón sarda tiene dientes inferiores puntiagudos y dientes superiores triangulares. Su boca es como un cuchillo y un tenedor. Los dientes de abajo sujetan los peces mientras los de arriba se mueven hacia delante y hacia atrás para cortarlos como si fueran un serrucho.

GRAN TIBURÓN BLANCO

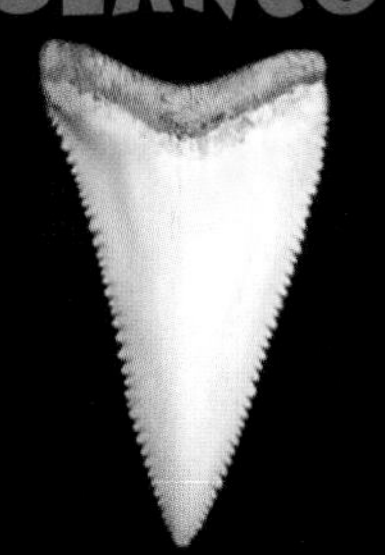

TIBURÓN DUENDE

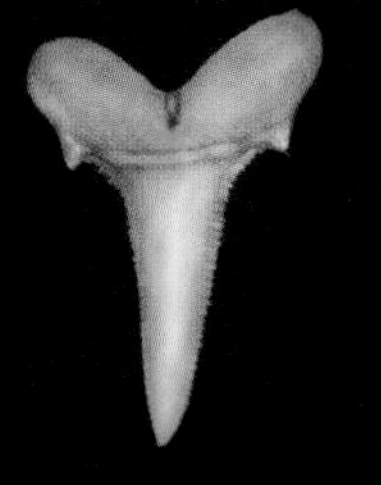

TIBURÓN DE PUNTAS NEGRAS

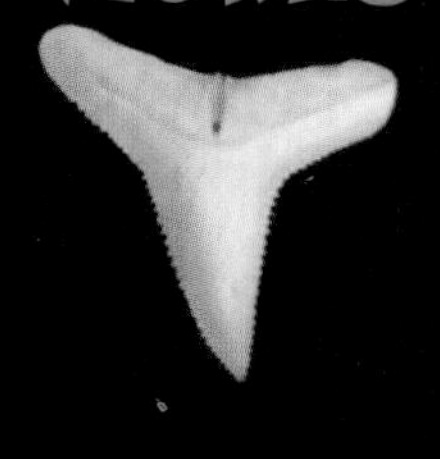

TIBURÓN COCODRILO

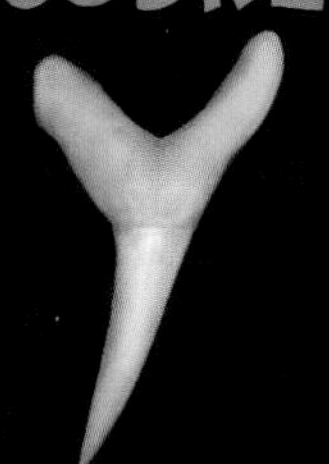

TIBURÓN BALLENA

TIBURÓN SIERRA

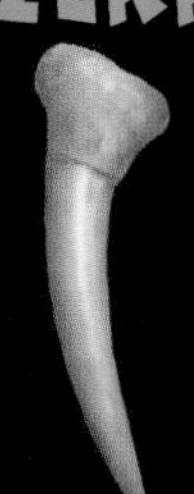

ANATOMÍA DE UN MARTILLO

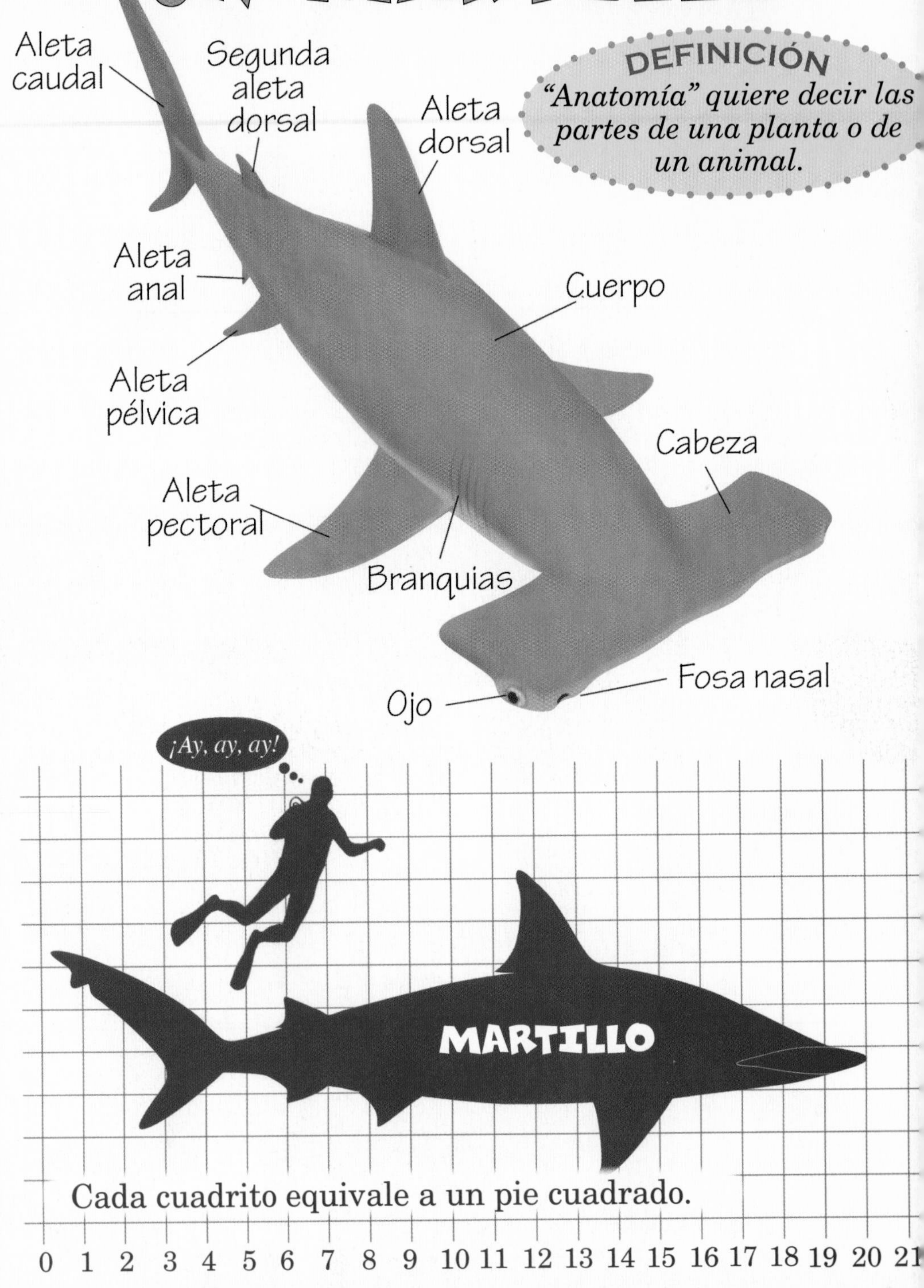

DEFINICIÓN
"Anatomía" quiere decir las partes de una planta o de un animal.

Cada cuadrito equivale a un pie cuadrado.

ANATOMÍA DE UN TIBURÓN SARDA

Aleta caudal
Segunda aleta dorsal
Aleta dorsal
Aleta anal
Cuerpo
Aleta pélvica
Cabeza
Aleta pectoral
Branquias
Fosa nasal
Ojo

¡Ay, no!

TIBURÓN SARDA

Cada cuadrito equivale a un pie cuadrado.

0 1 2 3 4 5 6 7 8 9 10 11 12 13

Cuando los ingenieros diseñan aviones, a veces solo tienen que fijarse en la naturaleza.

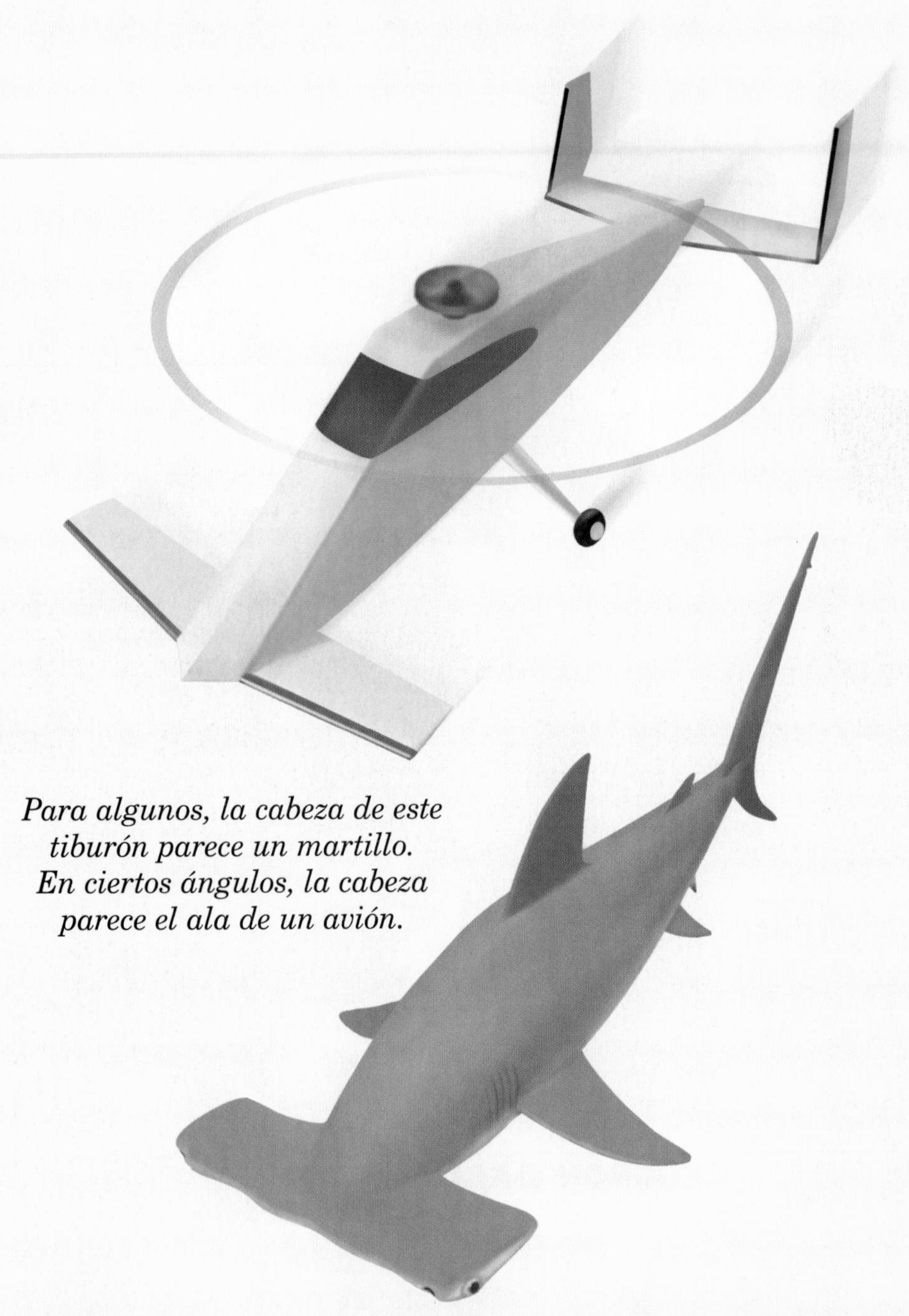

Para algunos, la cabeza de este tiburón parece un martillo. En ciertos ángulos, la cabeza parece el ala de un avión.

La cabeza en forma de ala le proporciona estabilidad al tiburón cuando nada.

Se podría decir que el transbordador espacial fue diseñado por la naturaleza hace millones de años.

DATO CURIOSO

Los ingenieros de aviones estudian "aerodinámica".

Mira la forma y el diseño de un tiburón sarda.

DATO INTERESANTE

Las mandíbulas de los tiburones grandes son dos veces más poderosas que las del león.

COLAS DE

El gran tiburón martillo y el tiburón sarda son diferentes, pero sus colas son similares. ¡Mira!

GRAN TIBURÓN MARTILLO

DATO CURIOSO

El tiburón de arena puede tocarse la cola con la nariz.

TIBURÓN BALLENA

TOLLO CIGARRO

TIBURÓN NODRIZA

DATO EXTRA

A la aleta de la cola también se le llama aleta caudal.

TIBURONES

El tiburón usa la cola para impulsarse hacia delante. Navega con la cola y con las aletas laterales.

TIBURÓN SARDA

DATO EXTRA

Casi todos los tiburones tienen una cola vertical.

ZORRO MARINO

TIBURÓN DE PUNTAS NEGRAS

TIBURÓN TIGRE

AMIGOS DE LOS TIBURONES

Los tiburones y los peces piloto son amigos.

Por ejemplo, los peces piloto comen parásitos que hay en la piel del tiburón y se comen los restos de la comida de los tiburones. Además, se mantienen a salvo de los depredadores, ya que nadan junto a un tiburón.

DATO

Los tiburones tienen la piel dura, como una armadura. Tienen unos dientes en la piel llamados dentículos.

¿SABÍAS ESTO?

Los lábridos son peces que limpian la piel de los tiburones. Algunos hasta entran en la boca de los tiburones.